BRUNO CO

Le Marchand de fables va passer

Stanké

Données de catalogage avant publication (Canada)

Coppens, Bruno

Le marchand de fables va passer

ISBN 2-7604-0811-6

I. La Fontaine, Jean de, 1621-1695 - Parodies, pastiches, etc. I. Titre.

PQ2663.0655M37 2001 848'.9202 C2001-940869-2

Illustrations : Gustave Doré

Le texte «Le Clodo et le Renard» a été publié dans *Le marchand de fables est repassé*, Éditions Luc Pire, Belgique, 1999.

Dépôt légal : Bibliothèque nationale du Québec, 2001

ISBN 2-7604-0811-6

Les Éditions internationales Alain Stanké remercient le Conseil des Arts du Canada et la Société de développement des entreprises culturelles (SODEC) de l'aide apportée à leur programme de publication.

Nous reconnaissons l'aide financière du gouvernement du Canada par l'entremise du Programme d'aide au développement de l'industrie de l'édition (PADIÉ) pour nos activités d'édition.

Les Éditions internationales Alain Stanké
615, boul. René-Lévesque Ouest, bureau 1100
Montréal H3B 1P5
Tél. : (514) 396-5151
Télécopie : (514) 396-0440
editions@stanke.com
www.stanke.com

Stanké International
12, rue Duguay-Trouin
75006 Paris
Téléphone : 01.45.44.38.73
Télécopie : 01.45.44.38.73
edstanke@cybercable.fr

IMPRIMÉ AU QUÉBEC (CANADA)

Diffusion au Canada : Québec-Livres
Diffusion hors Canada : Inter Forum

À Anne-Pascale C,
Marie-Paule K, Isabelle S,
Éric D, Jean-Louis D, Thierry W,
Xavier L, Éloi B, Serge B,
iMac et
Jean de La Fontaine

Introduction

Baptiser un être de petite taille « personne à la verticalité contrariée », n'est-ce pas une façon de parler très renardienne ? La Fontaine s'amuserait beaucoup à écouter notre langage politiquement correct.

« Bouffon ! » À entendre les tchatcheurs de la banlieue parisienne, le fabuliste pourrait penser que les temps n'ont pas changé... Par contre, à lire les inscriptions dans le métro, il aurait peut-être l'envie d'adapter Les Animaux malades de la peste *et remplacer « ce pelé, ce galeux » par des injures d'aujourd'hui ou des expressions argotiques bien plus virulentes...*

Le marchand de fables peut repasser aujourd'hui. Il trouverait matière à réécrire ses histoires car la langue française ébullitionne et nous sommes polylingues !

Dans une seule journée, nous relevons nos propos d'un soupçon de jargon psy pour consoler une amie dépressive, d'une bordée de mots argotiques à l'heure des bouchons, de quelques mots du parler « jeune » avec les copains de nos enfants, d'une pincée de langage politiquement correct pour ne pas vexer notre voisin et, enfin, à l'heure des câlins, de deux ou trois onomatopées créées dans une langue très personnelle...

Le verlan, le franglais, le langage des publicitaires, la langue de bois, la tchatche des banlieues, le parler codé, le langage BD, les mots-valises... La langue française est souple comme de la plasticine, modelable à souhait, s'offre à qui veut lui faire des petits et permet à chacun de se trouver une identité.

Voici un bouquet de fables aux parfums d'aujourd'hui. Un exercice de style qui, vu l'évolution rapide des langages, a ses limites. Certaines expressions utilisées sont sûrement déjà désuètes à l'heure où vous lirez ce recueil, d'autres auront sans doute revêtu de nouvelles acceptions ou modifié leur orthographe, et un autre « nouveau parler » sera entre-temps apparu avec syntaxe, grammaire et dictionnaire à la clé !

J'espère, ô lecteur, qu'en refermant l'ouvrage, tu auras envie d'écrire à ton tour la course du Lièvre et de la Tortue dans le style des commentateurs sportifs, les mésaventures sentimentales du Lion amoureux en dialogues dignes d'un roman-photo, ou encore la rencontre du Pot de terre et du Pot de fer en borborygmes issus tout droit de la bouche des hommes de Cro-Magnon...

Le Clodo et le Renard*

Dans un parking souterrain, à une époque indéterminée, un clodo est assis en tailleur sur un caddy défoncé et vide. Apparaît un autre clodo, le Renard.

Le Renard

Puis-je vous sortir de votre no man's land relationnel ?

Le Clodo

Heu... Faites. Cet espace vital ne m'est pas exclusivement réservé.

Le Renard

Je n'ai point l'honneur insigne de connaître votre identité.
Mais je devine, par ce dépouillement vestimentaire extrême,
que vous êtes un fervent opposant
au matérialisme occidental.

---

* Publié avec l'aimable autorisation de Luc Pire.

Le Clodo

Oh la la ! Ce qui passe à vos yeux pour de l'abnégation vis-à-vis des choses bassement matérielles, n'est pas le résultat d'une démarche idéologique volontariste.

Le Renard

Oh ! J'espère que vous n'avez pas, dans mes propos, subodoré une once de moquerie vis-à-vis de votre statut d'économiquement marginalisé ?

Le Clodo

Mais pas du tout !
Allez, approchez-vous.
Je suis tellement isolé que j'apprécie quand s'instaure un bain de convivialité dans une logique communautaire.

Le Renard s'approche, sourire aux lèvres.

Le Renard

Merci ! Sincèrement merci ! Cet esprit d'ouverture allié à un charisme indéniable sont vos atouts majeurs pour un futur recentrage professionnel.

Le Clodo

Hou la ! Je le sens plutôt bas de plafond mon avenir...

Le Renard

Tss, tss... Ne me dites pas que vous ne pensez pas à exploiter à nouveau vos capacités d'entreprise... Sinon... Pourquoi ça ?

Le Renard désigne du doigt le caddy.

Le Clodo

Quoi ça ?

Le Renard

Pourquoi vous encombrez de cet ersatz d'une civilisation de consommation effrénée si vous ne nourrissez pas une motivation latente ?

Le Clodo

Mais qu'est-ce qu'il a mon caddy ?
Il était là, défoncé...

Le Renard

Je ne peux pas croire que l'irruption d'un caddy dans votre environnement immédiat ait provoqué chez vous un relâchement éthique extrême.

Le Clodo

Éthique ?!... Écoutez, les ellipses pratiquées dans votre raisonnement font de moi un mal-comprenant.

Le Renard

Éthique ! Parfaitement, éthique ! Ce caddy pose un problème éthique car vous l'étant approprié, je crains que ne se recréent ici les fondements mêmes d'une société duale, opposant les nantis...

Le Clodo

... Et les méchants ?

Le Renard

Sincèrement, j'ai peur que cet objet ne constitue une frontière culturelle entre nous.

Le Clodo

Ce caddy... une frontière ?!

Le Renard

Écoutez, nous partageons l'expérience
d'un même déphasage social temporaire.
Mais comment échanger sur des champs de
mobilisation communs si se dresse...
ce caddy qui incarne le fossé nous séparant ?

Le Clodo

Mais il est vide ! complètement vide !

Le Renard

Justement, s'il n'est rien, pourquoi le garder ?

Le Clodo

Mais... Mais qu'en feriez-vous, vous ?

Le Renard

Je vous l'avoue, j'ai la faiblesse d'aimer
posséder.

Le Clodo

Si posséder est pour vous un palliatif à vos
déficiences identitaires, que voulez-vous que...

Le Renard

Qui d'autre que vous pourrait m'aider, vous qui me semblez libéré de tout rapport servile à l'objet ?

Le Clodo

C'est vrai que j'aime la philosophie, mais de là à me séparer de mon seul bien !

Le Renard aux genoux du Clodo.

Le Renard

Oh ! J'ai besoin de vous !

Le Clodo

Écoutez, ce type de comportement risque à long terme de nous plonger dans des affres de tensions interpersonnelles. Alors, si vous voulez éviter la balkanisation rampante de notre solidarité de classe...

Le Renard

S'il vous plaît ! Je ne vous demande qu'une seule chose : soumettez-moi à la tentation pour me délivrer du mal...

Le Clodo

Je ne sais si c'est le fait de vivre une période de destructuration personnelle qui vous plonge dans de telles affres existentialistes, mais je vous sens très...
déstabilisé psychologiquement !

Le Renard

J'ai besoin de sentir le rayonnement de votre aura, vous, le subversif zen, adepte du nihilisme objectal !

Le Clodo

Là, vous tombez dans un mysticisme de magasin ésotérique de seconde main !

Le Renard

Offrez-moi le supplice ultime, la tentation suprême...

Le Clodo

Laquelle ?

Le Renard

Condamnez-moi à pousser ce caddy devant moi, comme Sisyphe repoussant inexorablement cette pierre qui lui retombait dessus à chaque fois...

Le Clodo

Ce caddy... Sisyphe ?!

Le Renard

Pousser ce caddy devant moi
comme expiation de mes faiblesses,
pour enfin être digne de notre
interpénétration relationnelle !

Le Clodo

Vous devenez cérébralement commotionné !

Le Renard

Vous avez la chance d'être déjà haut dans les strates de la rédemption, laissez-moi accomplir cet exorcisme.

Le Clodo soupire longuement.

Le Clodo

Écoutez, vous faites preuve d'une telle compétence communicationnelle que vous emportez mon adhésion consensuelle !

Le Renard

Alors, synchronisons nos émotions !

Le Clodo embrasse le Renard de longues secondes puis se recule et désigne le caddy. Le Renard s'en empare et s'éloigne en sifflotant.

Le Clodo

Heu... Vous... Vous partez ?

Le Renard

Ha, ha ! Tout flatteur vit aux dépens de celui qui l'écoute... Si ton ramage se rassemble à ton plumage... Ça n'te rappelle rien ?
Eh bien, te voilà plumé !

Le Clodo

'spèce de sauvage urbain !

Le Renard

'spèce de rural profond !

Le Clodo

Connard !

Le Renard

SDF !

Le Clodo

Bâtard !

Le Renard

Rejeton de sale négresse... Oh ! Pardon !...

Excrément de minorité ethnique !

Le Clodo

Ethnique ?...

Ethnique ta mère, oui !

La Pigalle et la Fournie

La Pigalle ayant changé toutes les taies,
se trouva fort dépourvue
lorsque ménopause fut venue.
Pas le moindre petit marmot,
ni de couche ou de berceau.

Elle alla crier famille
chez la Fournie sa voisine,
lui priant de lui porter
un bambin à adopter
à la saison nouvelle.

« Je vous paierai », lui dit-elle.

La Fournie n'est pas porteuse,
c'est là son moindre défaut.

— Que faisiez-vous tant de shows ?
dit-elle à cette tapineuse.

— Nuit et jour, à tout venant,
je me vendais, ne vous complexe...

— J'enfantais, j'en suis forceps.
À moi de danser maintenant !

Mortalité :
Voilà comment la Pigalle périt pathétique
chienne.

Le Lièvre et la Tordue

Le Lièvre : banlieusard, training blanc ou noir, baskets, casquette américaine.
La Tordue : genre fille de joie, chaussures à semelles compensées, mini-jupe, bas résille, perruque blonde flashy.

Le Lièvre

Wouah !

Vise-moi c'te bombe !

Les air-bags pas l'genre faxable...

Elle est mortellatomique ! Ohé, Mururoa !

Mets-toi sur pause et approche !

La Tordue (d'une voix virile)

C'est toi qui m'tchatches ainsi ?

Le Lièvre

Hou la, ma caille ! T'as la voix ferrée grave !

Faut t'couvrir la silicone vallée !

La Tordue

Qu'est-ce que t'es relou comme keum !

Le Lièvre

En parlant de keum, je trouve que ça fouette zarbi depuis qu't'es là !

La Tordue

Eh bien, dégage, p'tit lièvre !

Le Lièvre

Hé, la Tordue ! Tu serais pas le genre Starsky looké en trav ? Ton squadron de robocop, i's'cache où ?

La Tordue

Tu m'vénères ! J'suis pas une taupe, j'te dis ! Tu veux faire une perquise du matos ?

Le Lièvre

J'te viande si tu t'approches !

La Tordue

Tu flippes, hein ? Peur que ça t'pète à la legueu !

Le Lièvre

Tu m'branches pas. Meuf, pas meuf ; keum, pas keum... Bâtarde de ta reum !
Rentre chez ouate !

La Tordue

P'tit gratteur, va ! Tu vas m'en donner du respect ! Écoute-moi. On s'file un rencart devant l'abribus. Le premier, i'gagne 3 sacs !

Le Lièvre

T'as vu tes shoes sur pilotis ! T'as aucune chance ! Avec mes sketbas, j'fais pomme Z et j'y suis !

La Tordue

C'est ça, le roi de la tchatche...
un pipeauteur, oui !
Avant que tu t'arraches de ta zone,
j'serai déjà fracassée depuis des plombes à t'attendre, gravat va !

Le Lièvre

Retourne dans la zup de ta mère.
C'est nullache comme défi ! Si tu cavales, tes air-bags, i'vont camper sec !

La Tordue

T'as le disque dur dans le bug ou quoi ?!
Capte ça ! À 3, je m'taille et si t'es pas

là-bas quand j'déboule, tu m'dois 3 sacs !
D'ac ?

Le Lièvre

Zyva ! À donf !

Ha, ha ! Tout l'artich que j'vais empocher sans blème... J'vais aller m'gnoller avec mes pincos. T'à l'heure, j'chouraverai une caisse et hop ! La Tordue, j'la clique dans corbeille et chtac ! Elle chantera plus la messe !

Laps de temps...

Le Lièvre

Hou la ! Je sniffe, je sniffe mais y'est minuit !
Putain, le retard ! Il est où c't'abribus ?

La Tordue

Alors pépé, t'as vu l'heure !

Le Lièvre

Hein ? Faut que j'arrête le kiff ! J'hallucine !
J'vois la Tordue, là ! C'est de l'intox !

La Tordue

Non, non, t'es pas ouf !

Le Lièvre

J'y crois pas ! La tâche, elle m'a scalpé !

La Tordue

Bon, le morveux !

La Drag-Queen, elle te dit d'allonger !

Le Lièvre

Non, je vais pas m'faire bugser par un trav !

J'vais te marbrer !

La Tordue

Tu vas rien faire sauf abouler le bifton,

bouffon !

Le Lièvre

Écoute, parasite, j'ai pas assez, alors...

La Tordue

T'as qu'à squatter tes renpas, dealer leur

RMI ou jober un chouia !

Le Lièvre

C'est ça !

Va foutre le delbor dans ton phoques-terrier,

amazonarde !

La Tordue

Écoute, j'efface l'ardoise mais file-moi tes fringues. Donaldson, Nike, Decathlon... ça fait du blé tout ça !
Allez, on solde !

Le Lièvre

Mais tu vas pas m'chiner tout ! Bouffon !
Hein ? Pourquoi mes fringues ?

La Tordue

Parce que rien n'sert de s'couvrir, vaut mieux partir à poil !

Le Chêne et le Roseau

Le Chêne

Foi de **ch**êne **ch**arnu,

quel **ch**ameau **ch**afouin é**ch**afauda

si **chich**ement **ch**ose aussi **ch**étive !

Le Roseau

Que **z**'yeute**z**-vous ain**z**i, mon **z**o**z**o ?

En quoi, balè**z**e voi**z**in, êtes-vous lé**z**é ?

Jalou**z**e**z**-vous ma **z**veltesse de don**z**elle ?

Le Chêne

Pauvre **ch**ou !

T'es pas **ch**anceuse, ma **ch**o**ch**otte !

C'est mo**ch**e !

Une mou**ch**e, un co**ch**e **ch**atouille ta

ra**ch**itique cabo**ch**e et voilà, **ch**andelle

chancelante, Roseau pen**ch**ant sous la

charge... Oh ! Peu**ch**ère !

Le Roseau

Belle zwanze !

Vous vous égozillez mais en vous blouzant,

méprizant !

Si je zigzague, tel un zorro zélé

ruzant face aux assauts des vents zinzin

soufflant du zoute ou de Zanzibar,

c'est que ça m'amuze

quand zéphyr me fait rizette,

quand brize pose bizous

et zakouskis d'amour ozé

sur ma peau qui frizotte,

et même quand bize me vize

et souffle tous azimuts

me laissant épuizé,

uzé tel un zombi...

mais apaizé !

Alizés ou bourrasques,

ces secousses exquizes

font gazouiller l'oizillon oizif que ze suis...

Ni loozer ni zéro,

juste un **z**a**z**ou
ja**zz**ant sous les ondées
ou, aux aurores, sous la ro**z**ée...

Le Chêne

Cher **ch**érubin !
Tu t'é**ch**ines à **ch**anger en **ch**ampion ton
chtatut de...
chiot **ch**ahuté à tout bout de **ch**amp !
Mais ta **ch**ienne de vie
n'est que **ch**arrettes d'embû**ch**es
t'obligeant à **ch**alouper à **ch**aque **ch**oc !
Chicane pas, **ch**enapan !
Moi, **ch**aritable **ch**ef-d'œuvre ar**ch**itectural
ré**ch**auffant tout un **ch**eptel de **ch**auve-souris,
de **ch**ouettes **ch**evê**ch**es et de **ch**at-huants
en**ch**antés de **ch**ahuter
dans ma **ch**armante **ch**evelure,
je te **ch**ou**ch**outerai, petite **ch**i**ch**iteuse !
Ni**ch**e-toi **ch**e**z** moi !

Le Roseau

Vos airs **ch**upérieurs, garde**z**-les !

Vous êtes grandio**z**e, moi, virtuo**z**e !

Je m'amu**z**e sans m'u**z**er !

Vieux os je ferai car

les sens aigui**z**és

je ne me bri**z**e jamais

alors que vous,

le **z**eppelin à son **z**énith,

creu**z**é dans le **z**inc,

vous vous vante**z** mais,

par grand vent,

vous vous éventere**z**, et **z**ou !

Arro**z**eur à rosser !

Vous êtes avi**z**é, mon vis-à-vis :

attention qu'un **z**este ne vous **z**igouille

et la vie ne vous ôte !

Le Chêne

Ha, ha !

Moi, les vents me **ch**evau**ch**ent,

jamais ne me fau**ch**ent !

Toi, revê**ch**e,

une pi**ch**enette, une **ch**iquenaude

comme un ha**ch**oir tran**ch**ant

peut te tran**ch**er, et **ch**alut la vie !

Mais... Qu'est-**che** ?

Oh ! Les vents se dé**ch**aînent !

Le Roseau

... Et s'épousent, se soudent

pour **z**ébrer de **Z z**'apocalyptiques...

Le Chêne

... Un ciel ha**ch**uré, dé**ch**iré...

Le Roseau

Zou ! **z**e **z**wingue ! À l'ai**z**e !

Le Chêne

Je suis **ch**aviré de **ch**agrin...

Mon feuillage en **ch**arpie

s'é**ch**appe en é**ch**arpes,

mes bran**ch**es se déhan**ch**ent,

mon tronc é**ch**ardé se dé**ch**arne...

Le Roseau

Ce **ch**ippendale ma**ch**o **z**ans **ch**emise

chiale et **ch**evrote,

cher**ch**ant, sursaut **ch**aste,

à **ch**asser ce **ch**âtiment mais,

talon d'A**ch**ille,

sa sou**ch**e se dé**ch**ausse...

Le Chêne

Moi qui tou**ch**ais d'un **ch**eveu

la cou**ch**e d'o**z**one

et m'en**ch**âssais

dans la **ch**air de notre **ch**ère terre...

Le Roseau

... Il **ch**oit,

chat **ch**âtré,

comme un **ch**ancre fau**ch**é sur le **ch**amp.

Vous **ch**uintie**z** ? **Z**'en suis fort ai**z**e, balè**z**e.

Eh bien, dé**ch**ante**z** maintenant !

La Grenouille qui se veut faire aussi grosse que le Bœuf

Une Grenouille voit au loin un Bœuf.

Oh ! Mais voilà un substitut parental idéal !
C'est que je vis seule, moi !
Dans une cellule zéroparentale,
et en pleine phase dépressive,
apparemment assez aiguë,
vu mon obsession névrotique,
et quasiment paranoïaque,
de me mirer des jours entiers
dans les eaux du marécage,
afin d'y trouver je ne sais quelle réponse
sur mon identité...
Alors, vous pensez,
ce Bœuf est une véritable apparition !

Et même si la vision de cette masse
puissante,
sûre d'elle-même,
réactive mon complexe d'infériorité,
je ne veux pas entendre parler
d'introspection !
Si des manques affectifs profonds
me poussent à chercher désespérément
une reconnaissance extérieure,
même dans l'œil d'un Bœuf,
pourquoi me morfondrais-je
étalée sur un divan ?
Allons !
C'est à lui que je veux ressembler.
Il est l'objet de mon désir irrépressible de
sublimation !
Wouah ! Mon ego est en émoi.
Mon sur-moi, il fait sous lui !
Mon bonheur est dans le pré !
Oh ! Je sais qu'il y a mieux comme symbole
de la mâlitude !

Par exemple, le taureau, sublimation
suprême du concept de virilité !
Mais pourquoi tomberais-je à pattes jointes
dans le stéréotype macho le plus courant ?
Le bœuf dégage une aura de puissance
sans attribut ostentatoire.
Finalement, lui au moins affirme sa féminité,
alors que le taureau refoule sans cesse
cette composante naturelle
de toute identité sexuelle.
Mais pourquoi cette assumation
m'attire-t-elle ?
Sa castration physique serait-elle une
lointaine résonnance d'une pulsion
auto-mutilatrice inhibée ?
Foi d'interprétation !
Si je projette un transfert sur un animal
d'une telle prestance,
un peu comme un père idéalisé,
cela prouve que mes carences affectives
m'ont profondément destructurée.

Alors, pour remplir ce vide intérieur,
je vais me gonfler !
Pouf !

Elle se gonfle.

Au Bœuf.

Coucou, beuh !...
Est-ce assez ?

Le Bœuf

Nenni !

La Grenouille

Son « nenni » me renvoie à cette réalité
biologique que je tentais d'amnésier,
à ce rejet du corps qui, je vous l'accorde,
frôle l'hystérie.
« Nenni »...
Au fond, pourquoi ce Bœuf me ferait-il
le cadeau de me reconnaître,
alors que je tente, par cette métamorphose,
de me situer au-delà des lois de la nature ?
Cette identification fusionnelle, en fait,
remet en question sa propre identité !

En cherchant à l'égaler,
je mets son ego en péril.
Il ne sera plus Un,
il sera partagé
et donc, il redoute à l'avance
tout le travail de deuil
qu'il devra fatalement opérer
pour accepter cette nouvelle réalité
environnementale...
Ha, ha ! Il me craint déjà !
C'est ça, l'effet Bœuf !
Ça me donne l'envie d'une p'tite gonflette !
Hop !

Elle gonfle.

Au Bœuf.

M'y voilà ?

Le Bœuf soupire longuement.

Cette altération de mon moi,
n'est-ce pas une forme d'auto-destruction
sous couvert de libération intérieure, hum ?
De toute façon, je ne refoulerai plus rien !

Je veux traverser mon fantasme !
Aller jusqu'au bout !
Wouah !
Je sens que l'ajustement structurel
de mon équation personnelle
passe par ce transfert physique !
Ça y est !
J'enfle encore sous l'œil du Bœuf
L'œil du... Un œil-de-bœuf, la fenêtre ovale !
Et moi qui n'était pas plus grosse qu'un œuf.
L'œuf, l'ovale !
Mais, mais c'est évident : l'œuf, l'ovale !
C'est ma mère que je cherche en lui !
Bien sûr !
Ce ventre si rond !
Ah mais oui, tout concorde !
L'œuf, la matrice !
En m'arrondissant, j'affirme mon désir...
d'une grossesse ?!
Je veux un bébé !!
Un bébé... de lui ?

Mais pourquoi alors ai-je choisi de
m'identifier à un Bœuf qui est,
par nature, castré !
Ça ne tient pas...
Oh ! Je sais !
Cette grossesse !
Je veux revivre la scène de ma propre
conception !
Je sens là que je touche un nœud ! Génial !
Je suis enfant enflant non pour enfanter,
mais pour me glisser dans la peau de...
maman !
Wouah !
Ce dévoilement cathartique de mon ça
me donne des ailes !
Je gonfle sans effort !
Super !
Maman ! Maman !
Je grossis à vue d'...
Aaaaah !
Noooon !

Aaaaaaah !

Crrrrrraaaaaaasssssplash !

Le Bœuf

Je t'ai... meueueueueueueueuehhhh.

Le Lion, le Moucheron et l'Araignée

Le Lion

Rrrrrrr, rrrrrr !

Le Moucheron

Bzzzz, bzzzz, bzzzz !

Le Lion

Hum ?

Le Moucheron

Bzzzz, bzzzz, bzzzz !

Le Lion

Argn ! Grrrreu !

Le Moucheron

BZZZZ, BZZZZ !

Le Lion

RRRWOUAAAAH !

Le Moucheron

Ha, ha, ha ! Talala... lala !

Le Lion

GROAAAAR ! WHOOOAAH !

Le Moucheron

Hé, hé ! Zwizzzzz !...

Le Lion

Nom de *# !@$"/

Le Moucheron

Ha, ha ! Bzzzz, bzzzzzzzzzzzzzzzzzzzzzzz !

Le Lion

IIIIAAAAARRRRRRRRHHHHHH !

Le Moucheron

Et chtok ! Pif ! Paf ! Flap ! Flap !

Le Lion

Hou ! Oups !...

Le Moucheron

Chtong ! Pam ! Badong ! Paw !... Chtak !

Le Lion

Aïe ! Ouille ! Argl !

LE MOUCHERON

Craaak ! Kong ! Tchac !... Piiing !

LE LION

Aaaaaaaaaaïïïïïïïïïeeee !

LE MOUCHERON

Ha, ha, ha ! Youpi !

LE LION

Snif, snif ! Bouh, bouh, bouh ! Snif !

LE MOUCHERON

TARATATA, TSOIN, TSOIN ! OLÉ !

WOUHOU ! Hiiiiii !

YAOUH ! Hipipipourrrr ?!...

L'ARAIGNÉE

Scriiiitch, scriiiitch...

LE MOUCHERON

Hum ?

L'ARAIGNÉE

Scriiitch... criiiissss... Hé, hé, hé !...

LE MOUCHERON

Gargl ?

L'Araignée

Trrrrrriiii... Pchhhhhhhh !

Le Moucheron

Aglagla !

L'Araignée

Cronch... Craaatch... Scram... Crissss...

Le Moucheron

Aaaaaaaaahhhhhh !!! Arrrgllllllllrrrrrrrr !!!

L'Araignée

Miam ! Miam ! Hi, hi, hiiiiiiiii !...

La Laitière et le Poteau laid

Elle se déhanche légèrement,
fredonnant un air à la mode.
Indépendante, entreprenante, elle est la vie
et comme la vie est source de beauté,
elle est naturellement belle.
Elle considère comme un privilège rare
de créer à 4 mains,
avec l'homme de sa vie,
du fromage de chèvre,
des produits sains, onctueux, énergisants,
des produits qui lui ressemblent tant.
Du coup, pour elle,
vendre ses fromages au marché
est un échange fraternel
entre des hommes et des femmes
qui désirent mieux vivre pour mieux être.

Elle mène une vie de femme,
résolument femme.
Elle sait que le corps est
son bien le plus précieux,
alors, elle a choisi un soin bio-protéiné
composé de microliposomes plurilamellaires
aux composants majoritairement recyclables
et dont les formules,
essentiellement biodégradables,
sont sans colorant.
Elle marche d'un pas décidé
sachant que cette balade quotidienne,
coupée d'une pause biolvert,
énergise tout son corps,
favorise le resserrement
de l'enveloppe naturelle,
et exerce sur sa peau
une action raffermissante
et régénatrice à long terme.
À chaque pas, elle en ressent les bienfaits :
« C'est si bon de se sentir protégée ! »

Alors, elle sourit.

Un sourire, c'est de la pulpe de bonheur.

Ça a l'air de ne rien changer

et ça change tout !

Bien sûr, elle se sait vulnérable.

Une légère charge pondérale

suite à ses deux grossesses,

quelques ridules autour des yeux...

Mais elle aborde la quarantaine

avec la détermination de celle qui,

vivant en osmose avec son environnement,

renforce ainsi ses défenses naturelles.

Oh ! Elle craque parfois !

Ainsi, elle compte sur la recette du jour

pour s'offrir à l'espace beauté

de la ville toute proche :

une crème hypoallergénique

aux plantes parfumées,

aux essences de criste marine,

ce petit plus qui parle au corps...

et aussi un déo anti-perspirant,

spécial femme active,
aux substances essentielles
s'attaquant aux radicaux libres
qui, de l'intérieur,
agressent sa carrière butanée...
sa barrière cutanée...
Soudain,
une mèche d'une brillance chatoyante
virevolte devant ses yeux.
Elle secoue sa chevelure
le temps d'un regard en arrière
et quand elle se retourne à nouveau,
elle se retrouve nez à nez
avec un Poteau laid !
Pauvre laitière devant ce Poteau laid !
Elle voit dans un flash
les sourcils froncés de son mari !
Celui-ci lui prépare
un rôti de lotte aux tagliatelles
sur une musique d'Andréa Bocelli.
Écoutant sa mésaventure,

il lui glisse à l'oreille :
« Ta fragilité, c'est ta force. »
Il la prend dans ses bras,
et lui offre 2 bonnes raisons
d'oublier ses tracas :
2 diamants,
2 boucles d'oreilles,
2 éclats arrachés à la terre.
Un cadeau surprise
pour que le bonheur soit encore...
plus bonheur que jamais.
Elle lui répond : « Merci. »
Tout simplement.
Elle regarde au loin
et leurs yeux se rejoignent là-bas,
plus loin que l'infini...
« Il ne tient qu'à vous que votre vie soit un rêve. »

La Poule aux œufs d'or

La Poule

Code, code, code, codac !...

L'Homme

L'Homme était tellement avare qu'il rationnait même les lettres de tous les mots lui permettant de s'exprimer...

7 é 1 9 en or !

É a 1 g, 1 d s L é...

G t b a, é b t, 13 m u :

g r i t 2 7 d s L é !

16 L

K 7 d s ?...

D 1000 i é 2 !

G t a j t : L a v 1000 e

é g t 100 1 o !

1 i d a m r g : p t 16 L !

À 7 f é, g h t 1 h
è g è t t 7 d s, o t 1 L,
L – L u t – a é m i d 0 è d A...
L é q 8 !
L 7 u, h e v, k c, d c d !
É 1 j !
F a c 7 d s L é, c 0 !

Décode, décode, décode, décodac !
« C'était un œuf en or !
Et à un jet, une déesse ailée...
J'étais béat, hébété, très ému :
j'ai hérité de cette déesse ailée !
Qu'a cette déesse sous ses ailes ?
Des milliers d'œufs dorés.
J'étais agité : elle avait mille œufs dorés
et j'étais sans un rond !
Une idée a émergé : péter ses ailes !
À cet effet, j'ai acheté une hache
et j'ai étêté cette déesse, ôté une aile,
Elle – elle luttait – a émis des « Oh ! »
et des « Ah ! »...

Elle est cuite !

Elle s'est tue, achevée, cassée, décédée !

Et elle gît !

Effacer cette déesse ailée, c'est zéro ! »

Le Rat Devil et le Rat des champs

— On se booke un lunch ?
dit le Rat Devil.

— Quel brrrave gars,
dit le Rat des champs en raccrochant.
Me v'là invité à casser la grrraine
à la ville d'à côté !
Je vais mettrrre ma liquette brrrune,
un paletot dessus,
et pis mon pantalon en velourrrs cotelé.

Dring !

— Hey man, dit Devil. Tu...
Wouah ! Le look frenchy !
Mais tu sais que t'es plus groovy que moi ?
Là, tu surfes all over fashion !

Et fatal, t'es dans le move,
parce que t'es toujours out off the move !
Moi, je cours after,
je suis ou trop flashy
ou trop pepsi !
À force de me dispatcher,
je suis toujours en jetlag !
J'ai l'impression de scratcher, you mean ?
Toi, t'es TOI, for ever.
C'est la hype totale !
Tu résisteras à tout !
T'es waterproof, brother !

— Heu... Je peux entrrrer chez toi ?
On se tutoie, hein, voisin ?
Ah ! C'est sympa de ta parrrt de m'inviter.
Oh ! Ça a l'airrr copieux,
ajouta le Rat des champs
et, crachant dans ses mains,
il s'installa à table.

— Pas genre fast-food, hein ?
Ha, ha ! T'es un kissman !
Je te truste à mort !

— Heu... T'as pas un bout de pain pour
trrremper avec ?

— Ok !... Bon, écoute,
toi, t'es un self-made-man.
Moi, question marketing,
j'ai besoin d'un management.
Please, briefe-moi !
J'suis free-lance pour une boîte high-tech,
mais j'veux booster pour driver en single,
tu vois.
J'voudrais que tu...

— Ah ! Tu ne vis pas seul,
coupa le Rat des champs,
entendant du remue-ménage à l'arrière.

— Je n'ai pas de girlfriend,
le cœur underbooked,
je vis alone, quoi !
C'est sans doute les kids
qui ravent dans la street,
no trouble !
Mais bon... Return à notre conversation.
Je te disais que je voudrais pulser,
être busy non-stop. Ça, c'est le fun !
Etre VIP...
Filer mon number dans la jet-set...
Prendre le leadership d'un lobby...
Et pour ça, toi, tu...

— Tiens, encorrre du brrruit,
lança le Rat des champs
dont l'appétit fondait
comme neige au soleil.
Quel grrrabuge !
Ils sont bien nombrrreux tes jeunes
qui font la nouba autourrr d'un pick-up !

— Cool ! T'en fais une story !
C'est pas un hold-up !

— M'ouais ! C'était chouette jusque-là
mais avec ce boucan,
j'ai le ventrrre dans les pantoufles, alorrrs...

— Sorry, mais allez, come on !
I'te faut un trip pour oublier ?
Attends, j'brainstorme
et je te sors ma check-list...
Heu... Whisky, irish-coffee, flash, ecstasy,
blue pills ?

— Rrrien du tout,
dit le Rat des champs en se levant.
Écoute, t'es brrrave,
tu n'as qu'à venirrr chez moi, tiens !
Allez ! Viens dimanche !
Aprrrès la messe !
On se serrre la main ?

— Chez toi ? Heu...
Je t'e-mail pour un autre meeting,
ok, brother ? Bye !

La porte claqua sans réponse.

— Fuck !
J'ai même pas arraché l'adresse de son
lookman !
I'm a looser !

La Morse et le Manchot

(fable inédite de La Fontaine)

Voici l'amorce d'une histoire
Qu'on sert tôt, à l'apéro,
Comme d'ailleurs nos deux héros !
Vous le comprendrez plus tard...

Elle est Morse et lui Manchot.
Elle s'appelle Frigide Bardot.
Lui n'a qu'un prénom, Freddo.
Il sera son amant chaud.

Elle rêvait, c'était loufoque,
De partir se mettre au pôle
Pour décrocher un vrai rôle
Auprès de la Century Phoque.

Lui veut quitter sa banquise,
Flotter ainsi à sa guise
Au moins jusqu'aux îles Marquises
Pour qu'au soleil son poil frise !

Mais il patine, le manchot,
Car son voyage salutaire,
Il ne le rêve qu'en duo,
Une folie pour passagère...

Que ces destins se croisièrent
N'est pas extraordinaire !
Les ours se suivent là-bas
Mais ne se ressemblent pas...

C'est un jour de maelström
Que la Morse débarcadère.
Mais il n'y avait personne.
Seule sur la glace, Frigide erre...

L'endroit était désertique
Et elle claquette des deux dents.
Frissons, angoisses et grincements,
Est-ce la mort qui hante l'Arctique ?

Allait-elle monter la garde
Devant la Century Phoque ?
Y attendre qu'un bodyguard
Pour un grand film la convoque ?

Se mirant dans le verglas
Soudain elle fondit sur glace.
Elle sut que sonnait le glas
Et dit adieu aux palaces...

Car Frigide est vraiment grosse
Au point que, et c'est féroce,
Si elle marche quand sonne minuit
On l'appelle la ronde de nuit...

Elle se dit que pour régime
Pas besoin de cours de gym.
« Arrachons ces deux dents-là
Et mon poids s'envolera ! »

Et voilà comment Freddo
Qui rageant d'être sédentaire
Devient le bel amant chaud
Dans son cabinet dentaire.

Avec sa clef à molaire
Brandie comme un bras de fer,
Il allège Frigide Bardot
De son incisif fardeau.

Croisant alors son regard,
La Morse ne vit que du noir.
L'amour l'avait aveuglée
Avec bonheur à la clef.

Lui, n'ayant d'yeux que pour elle,
Greffa sa cornée d'amour
Afin de voir pour toujours
L'univers à travers elle...

L'éborgnée et l'édentée,
On est très loin d'*Histoire d'O* !
Mais qu'importe l'infirmité !
L'union est scellée, c'est beau !

Comme ils n'avaient patiné,
Faim de loup, ils attrapèrent
Et si lui est carnassier,
Elle est grosse carnassière...

Bien rembourrée, rondelette.
Des poignées d'amour bien faites
Pour un jour s'faire la mallette
Comme il en rêve en cachette !

Grâce à Merlan l'enchanteur
Et ses turbots pour moteur,
Ils mirent les voiles, prirent le quart
Et voilà, trois mâts plus tard...

La Morse et son amant chaud
Débarquant à Bornéo
Juste à l'heure de l'apéro
La dernière pour nos héros...

Un pingouin maître d'hôtel,
Psychopatte à seize heures,
Leur offre une lune de miel
Dans un réfrigérateur...

Pour nos héros, le glas sonne
Sous forme de glaçons en somme
Et dans le frigo résonne
Le *Kyrie eleison*...

Freddo et Frigide Bardot
Dans un bac à eau titubent.
Voilà comment ce duo
En glaçons a péri cubes !

Les fables

Lexique

Mots et expressions issus du verlan ou de l'argot

relou lourd

keum mec

zarbi bizarre

squadron escadron

tu m'vénères tu m'énerves !

une perquise du matos une perquisition du matériel, une fouille corporelle

la legueu la gueule

meuf femme

reum mère

chez ouate chez toi

sketbas baskets

zup zone urbaine prioritaire (jeu de mot zup/jupe)

zyva vas'y

à donf à fond

l'artich l'argent

se gnoller se saouler

sans blème sans problème

pinco copain

chouraver voler

ouf fou

marbrer cogner, éclater la tête

bifton argent

bouffon ringard, looser, naze

les renpas les parents

le delbor le bordel

chiner voler

Bibliographie

La Fontaine (Jean de). *Les Fables*, édition de J-P. Collinet, Folio classique, Éditions Gallimard, 1991.

La Fontaine (Jean de). *Les Fables*, illustré par Gustave Doré.

Vandel (Philippe). *Le Dico français/français*, Éditions Jean-Claude Lattès, 1992.

Pierre-Adolphe (Philippe), Mamoud (Max) et Tzanos (Georges-Olivier). *Tchatche de banlieue*, Éditions mille et une nuits, 1998.

Merle (Pierre). *Lexique du français tabou*, Éditions Points Virgule, 1993.